CERTO DIA, A MÃE DE CHAPEUZINHO PREPAROU UMA CESTA CHEIA DE GULOSEIMAS E PEDIU À GAROTA QUE A LEVASSE À AVÓ, DO OUTRO LADO DO BOSQUE. CHAPEUZINHO LOGO FICOU MUITO ANIMADA, POIS ADORAVA VISITAR A VOVÓ.

A MÃE DE CHAPEUZINHO RECOMENDOU: "FILHA, TOME CUIDADO; NÃO FALE COM ESTRANHOS E NÃO PEGUE O ATALHO... NEM SEMPRE O CAMINHO MAIS CURTO É O MAIS SEGURO". APÓS OUVIR AS RECOMENDAÇÕES DA MÃE, CHAPEUZINHO SAIU TODA FELIZ EM DIREÇÃO À CASA DA AVÓ.

A MENINA SEGUIA SALTITANTE E CANTAROLAVA ENQUANTO OBSERVAVA AS BORBOLETAS E COLHIA ALGUMAS FLORES COLORIDAS PELO CAMINHO PARA ENTREGAR À VOVÓ. "ELA VAI ADORAR ESTAS FLORES!", DIZIA CHAPEUZINHO, EMPOLGADA.

DE REPENTE, O LOBO DA FLORESTA APARECEU E CUMPRIMENTOU CHAPEUZINHO: "OLÁ, LINDA GAROTINHA! AONDE VOCÊ VAI COM TANTA ANIMAÇÃO?". ELA RESPONDEU: "VOU ATÉ A CASA DA VOVÓ LEVAR ALGUMAS GULOSEIMAS E FLORES". FAMINTO, O LOBO LOGO ARMOU UM PLANO.

ELE DISSE PARA CHAPEUZINHO: "ESTE CAMINHO NÃO ESTÁ MUITO BOM... ALGUMAS ÁRVORES CAÍRAM, E ESTÁ DIFÍCIL SEGUIR ADIANTE. SE EU FOSSE VOCÊ, IRIA PELO ATALHO". A GAROTA ACHOU O LOBO MUITO GENTIL PELO AVISO E SEGUIU PELO CAMINHO QUE ELE INDICOU, MESMO COM AS RECOMENDAÇÕES DA MÃE.

POUCOS MINUTOS DEPOIS, CHAPEUZINHO CHEGOU À CASA DA AVÓ. A GAROTINHA ABRIU A PORTA, QUE ESTAVA ENCOSTADA, E FOI ATÉ O QUARTO, MAS LOGO PERCEBEU QUE HAVIA ALGO DE ERRADO COM A APARÊNCIA DA VOVÓ.

"O QUE ACONTECEU COM O SEU NARIZ E OS SEUS OLHOS, VOVÓ? ELES ESTÃO TÃO GRANDES!", PERGUNTOU A MENINA. "SÃO PARA VER VOCÊ E SENTIR O SEU CHEIRO, MINHA NETINHA", RESPONDEU UMA VOZ ESTRANHA, BEM GROSSA E ROUCA.

CHAPEUZINHO, ASSUSTADA, CONTINUOU COM AS PERGUNTAS: "E QUE BOCÃO É ESSE, VOVÓ?". "É PARA ENGOLIR VOCÊ!", GRITOU O LOBO, DISFARÇADO DE VOVÓ, SALTANDO DA CAMA PARA PEGAR CHAPEUZINHO, QUE SAIU CORRENDO PARA FORA DA CASA.